Sticker Heft

Pferde

Ravensburger Buchverlag

Was ist ein Reiterhof?

Auf einem Reiterhof gibt es viel zu entdecken. Im großen Stall leben Pferde und Ponys in großen Boxen nebeneinander. Dort werden sie gefüttert, gepflegt und versorgt. In der Reithalle ist genügend Platz für viele Reiter. Wenn das Wetter schön ist, kann der Unterricht auch auf dem Außenplatz stattfinden. Auf der Koppel können die Pferde gemeinsam nach der Reitstunde gemütlich grasen.

Welche Pflege braucht ein Pferd?

Im Freien wälzen sich Pferde auf dem Boden und pflegen so ihr Fell. Pferde, die im Stall leben, müssen jeden Tag geputzt und gestriegelt werden. Im Putzkasten befinden sich Striegel, Kardätsche und Hufkratzer, damit das Fell und die Hufe vom Dreck befreit werden können. Die Box muss täglich gereinigt und der Mist herausgenommen werden. Danach wird frisches Heu nachgelegt.

Was machen Pferde auf der Weide?

Auf der Weide fühlen sich Pferde am wohlsten und Fohlen können hier die Welt entdecken. Ein Unterstand schützt sie vor starkem Wind und Regen. Manche Pferde dösen oder schlafen gerne draußen.

Sie verständigen sich über ihre Körpersprache miteinander. Will ein Pferd in Ruhe gelassen werden, dann legt es die Ohren an. Zieht es die Oberlippe hoch, dann riecht es gerade etwas Spannendes.

Was brauchst du alles zum Reiten?

Die richtige Schutzkleidung ist beim Reiten besonders wichtig. Der Reiter braucht einen Reiterhelm und Reitschuhe. Eine Sicherheitsweste gibt besonderen Schutz. Vor der Reitstunde benötigt auch das Pferd die richtige Ausrüstung. Es braucht sein Zaumzeug und einen Sattel mit Decke. Die Beine werden durch Gamaschen vor Verletzungen geschützt. Willst du den Kindern helfen das Pferd zu satteln?

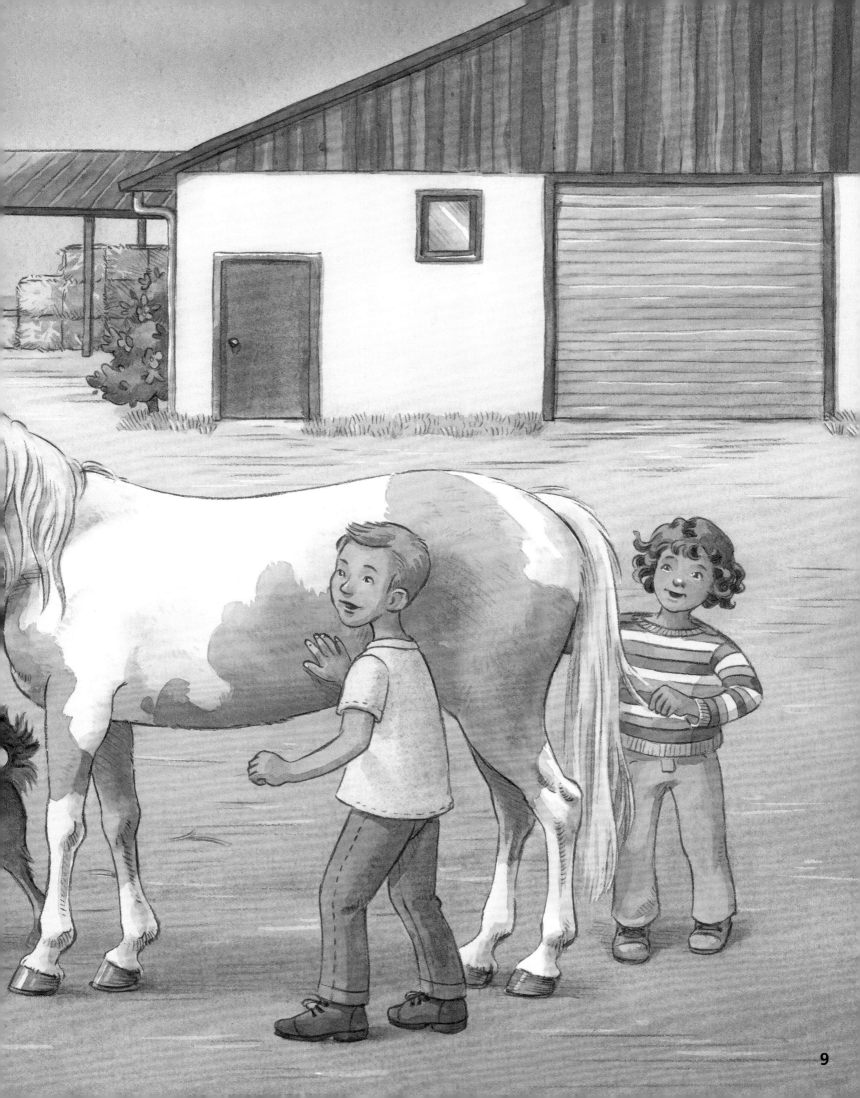

Wie sieht es in der Sattelkammer aus?

In der Sattelkammer werden die Sättel von allen Pferden aufbewahrt. Jedes Pferd hat seine eigene Truhe, in der Decken und Bandagen verstaut sind. Das Zaumzeug hängt ordentlich an Haken an der Wand. Die Reiter haben ihren eigenen Schrank, in dem sie ihre Ausrüstung, Leckerli und persönliche Sachen verstauen können. In der Kammer stehen auch Pokale, Urkunden und Fotos der Reiter.

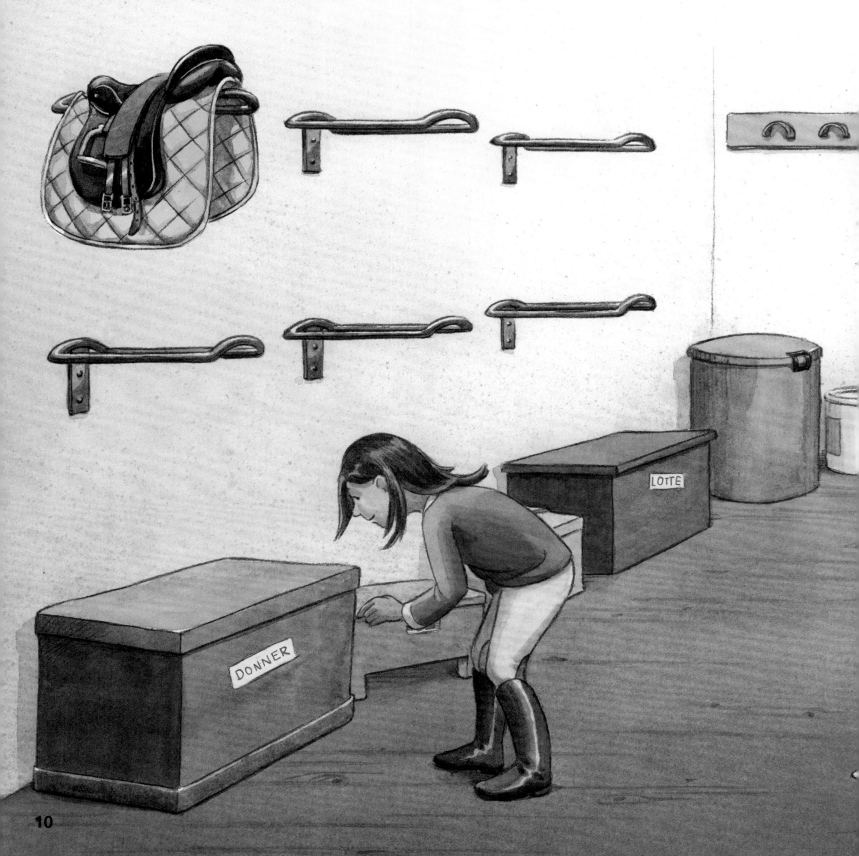

Wobei hilft der Tierarzt?

Der Tierarzt besucht den Reiterhof in regelmäßigen Abständen, um die Tiere zu impfen. Er schaut nach, ob die Zähne des Pferdes in Ordnung sind und ob die Lunge frei ist. Verletzt sich ein Tier, bandagiert er Beine und hilft mit Medikamenten. Das bringt der Tierarzt alles in seinem Koffer mit. Die Besitzer helfen dem Arzt und beruhigen die nervösen Tiere, damit er in Ruhe arbeiten kann.

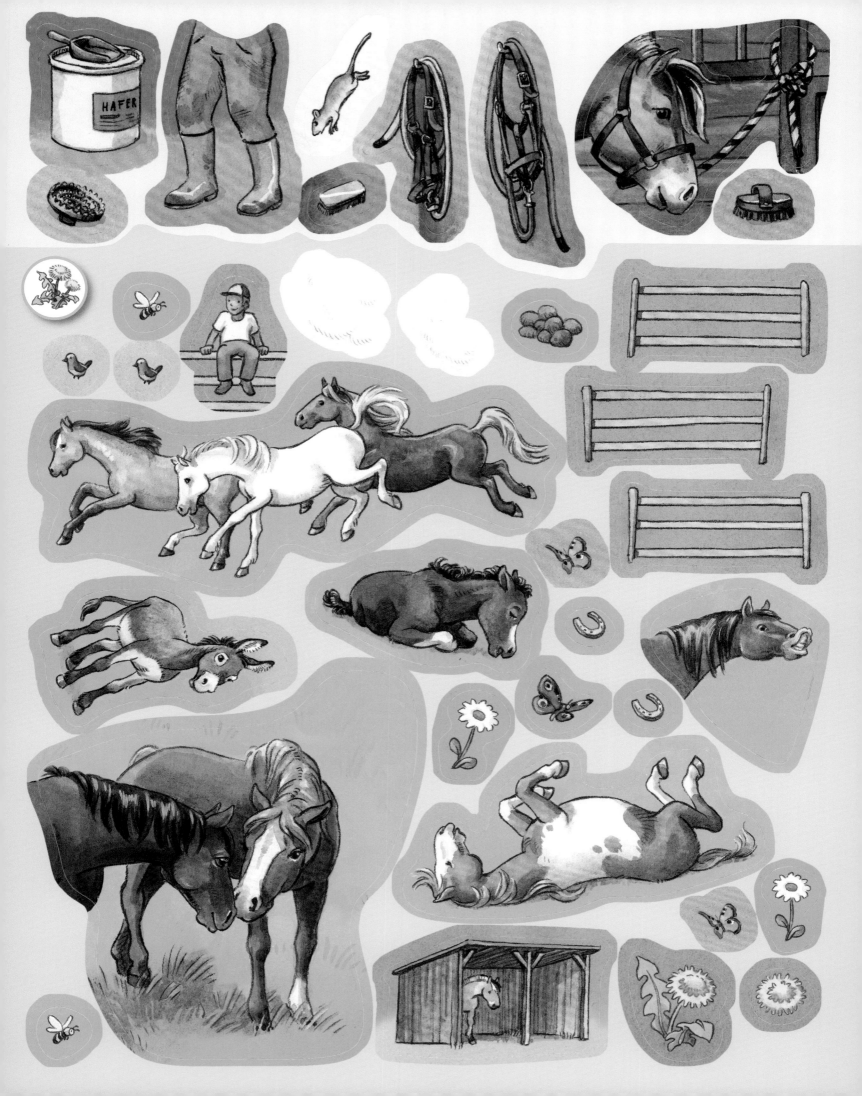

HAFER

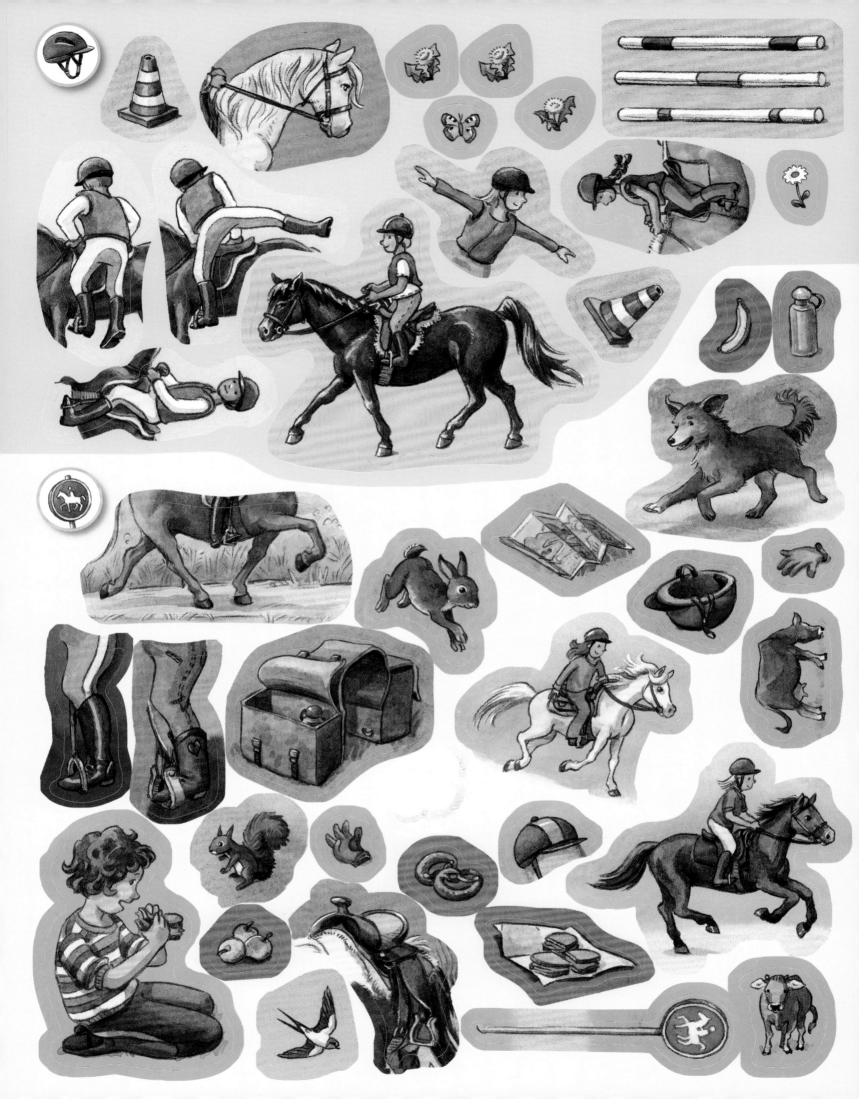

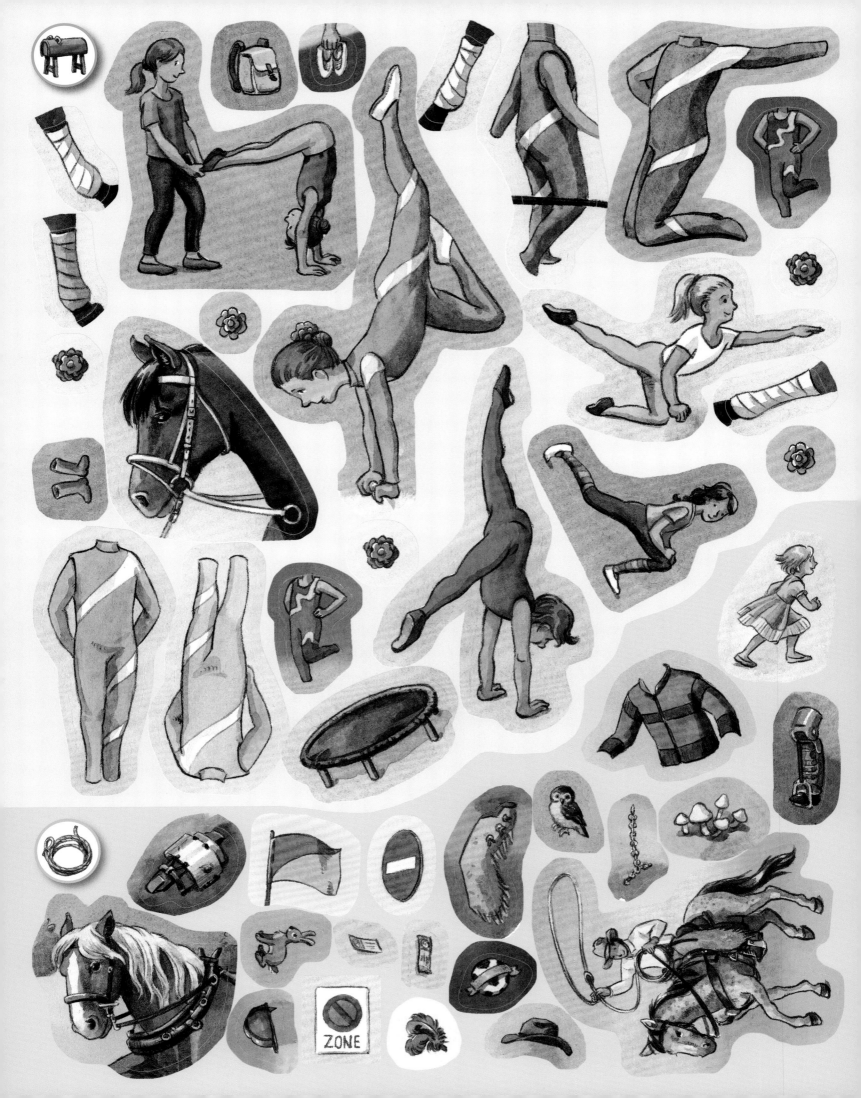

ZONE

Wieso brauchen Pferde Schuhe?

Pferde tragen zum Schutz ihrer Hufe Hufeisen. Der Hufschmied stellt die Hufeisen und Hufnägel selber her. Diese passt er auf einem Amboss für jedes Pferd einzeln an. Dafür braucht er viel Kraft.

Hufeisen helfen den Pferden sich auch auf unebenem Gelände zu bewegen. Der Hufschmied entfernt auch Verletzungen am Huf und korrigiert Fehlstellungen mit speziellen Eisen.

Wie lernt man Reiten?

Reiten wird auf dem Hof von ausgebildeten Reitlehrern unterrichtet. Am Anfang wird noch an einer langen Leine, der Longe, geritten. Der Reiter kann sich ganz auf die richtige Körperhaltung und sein Gleichgewicht konzentrieren. Später wird dann frei auf dem ganzen Platz mit anderen Reitern weitergeübt. Die drei wichtigsten Gangarten sind Schritt, Trab und Galopp.

Wie sitzt man richtig auf?
Vervollständige die Abfolge mit
den richtigen Stickern.

Wann kann man ins Gelände?

Erfahrene Reiter unternehmen bei schönem Wetter gerne Ausflüge in der Gruppe. Beim Ausritt ist die Sicherheit sehr wichtig. Eine spezielle Weste und ein Helm schützen die Reiter. Es ist aber nur erlaubt auf Reitwegen zu reiten. Diese Wege sind mit einem blauen Schild mit Reiter gekennzeichnet. In den Satteltaschen findet sich Platz für Decken und Essen für eine kurze Pause in der Natur.

Wie hoch kann ein Pferd springen?

Auf einem Reitturnier können Reiter und ihre Pferde zeigen, was sie alles können. Beim Springreiten geht es um Geschwindigkeit und darum, den Parcours fehlerfrei zu reiten. Dabei gibt es verschiedene Hindernisse. Bei einigen muss man besonders hoch, bei anderen gut weit springen können. Richter überwachen den Wettkampf und vergeben die Urkunden.

Wie turnt man auf einem Pferd?

Voltigieren ist Turnen und Akrobatik auf einem Pferd. Zunächst übt man die Figuren am Boden oder auf dem Holzpferd. Wenn man sicher ist, dann geht es ab aufs Pferd. Zunächst im Schritt und später im Galopp. Dabei kann man alleine oder zusammen Figuren wie die Fahne oder Kerze zeigen. Bei Turnieren zieht man besondere Gymnastikanzüge an und stellt eine Choreografie zur Musik vor.

Wobei können uns Pferde helfen?

Früher waren Pferde wichtige Begleiter des Menschen. Aber auch heute noch können Pferde uns im Alltag nützlich sein. Sie helfen durch ihre Kraft, Geschicklichkeit oder beim Ziehen von Kutschen.

In schwierigem Gelände helfen sie Forstarbeitern dabei schwere Holzstämme durch den Wald zu ziehen. Kaltblüter sind durch ihre kräftigen Muskeln hierbei besonders gut geeignet.

Kutschen waren früher wichtige Transportmittel. Heute werden sie gerne bei besonderen Anlässen wie Hochzeiten genutzt. Die festliche Kutsche wird von eleganten Pferden gezogen und bringt das Brautpaar zur Feier. Der Kutscher lenkt das Gespann sicher durch den Straßenverkehr.

Speziell trainierte Pferde nutzt die berittene Polizei bei Sportveranstaltungen oder Demonstrationen.

Bei der Streife haben die Polizisten so einen guten Überblick über größere Menschenmengen.

Cowboys treiben auch heute noch Kuhherden mit ihren Pferden über die Felder. Sie reiten im Western-Stil und die Pferde reagieren schon auf leichte

Kommandos. Mit dem Lasso können sie einzelne Tiere einfangen und zur Herde zurückbringen. Hunde begleiten sie und achten auf die Herde.

Lösungen für besonders kniffelige Sticker

 Seite 2/3

 Seite 4/5

 **Seite 6/7**

Seite 8/9

 **Seite 12/13**

   Seite 14/15

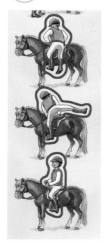

Seite 16/17

Seite 18/19

Seite 22/23